죠죠떼온

문학동네

JOJO'S BIZARRE ADVENTURE PART 8 JOJOLION 11

©2011 by LUCKY LAND COMMUNICATIONS / SHUEISHA Inc.
All rights reserved.

First published in Japan in 2011 by SHUEISHA Inc., Tokyo.
Korean translation rights in Republic of Korea arranged by SHUEISHA Inc.
through Shinwon Agency Co. and The Sakai Agency Inc.
Korean edition, for distribution and sale in Republic of Korea only.

volume

11

쌍둥이가 마을에 찾아온다

JoJolion ★★★★★ 죠죠의 기묘한 모험 Part8
Jojo's bizarre adventure

아라키 히로히코
Hirohiko Araki & Lucky Land Communications

모리오초 인물 소개

Jojo's
bizarre
adventure,
part 8

★★★★★
JoJolion
★

히가시카타 죠스케(추정 19세)

'벽의 눈'에서 발견된 신원 불명의 청년. 어깨에 별
모양의 반점이 있다. 자신이 누구인지 전혀 기억하
지 못한다. 히가시카타가에 거둬져 '죠스케'라는
이름을 받는다. '벽의 눈'의 능력으로 키라 요시카
게와 융합한 것이 판명됐다.

히로세 야스호(19)

모리오초에 사는 대학생. '벽의 눈'에서 우연히 발견
한 죠스케의 신원을 알아내기 위해 함께 행동한다.

키라 요시카게(29)

죠스케와 비슷한 풍모를 지닌
청년. 죠스케가 발견된 시점에
이미 같은 곳에서 죽은 상태로
있었다는 사실이 나중에 판명
됐다.

키라 홀리
죠스타(52)

키라 요시카게의 어머니.
TG대 병원에 입원중.

히가시카타 죠빈(32)

히가시카타가의 장남. 매일
매일이 여름방학인 것처럼
사는 타입.

히가시카타
노리스케(59)

히가시카타가의 가장. 히가
시카타청과의 제4대 점주.

히가시카타 미츠바(31)

장남 죠빈의 아내.

히가시카타 죠슈(18)

히가시카타가의 차남. 야스호
의 소꿉친구로 같은 대학에
다닌다. 야스호를 좋아한다.

히가시카타 츠루기(9)

장남 죠빈과 미츠바의 아
들. 액막이를 위해 여자애
차림으로 지내고 있다.

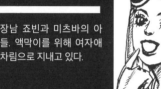

히가시카타 하토(24)

히가시카타가의 장녀. 모델.

니지무라 케이(22)

키라 요시카게의 여동생.
히가시카타가의 비밀을 알
아내고자 가정부인 척 숨어
들었다.

히가시카타 다이야(16)

히가시카타가의 차녀. 죠스
케를 좋아한다.

지난 줄거리

S시 모리오초. 지진 후 갑자기 마을 안에 나타난 '벽의 눈'이라 불리는 융기물 근처에 묻혀 있던 수수께
끼의 청년은, 그를 발견한 히로세 야스호와 함께 자신의 신원을 알아내기로 한다.

유일한 단서는 자신과 몹시 닮은 인물이라는 키라 요시카게였지만, 조사 끝에 그의 시신을 '벽의 눈'에
서 발견한다. 단서를 잃은 청년은 야스호의 소꿉친구인 히가시카타 죠슈의 집에 거둬져 '죠스케'라는
이름을 받는다.

히가시카타가에서 지내기 시작한 죠스케는 이 집에 대대로 전해 내려오는 '바위처럼 변해 죽는 병'과,
그것을 고칠 수 있다는 '과일'의 존재를 알게 된다. 그리고 뒤이은 조사로 자신이 그 병의 수수께끼를 쫓
아 모리오초에 왔음을 확신하게 된다.

죠스케에게 협력하기로 한 츠루기와 야스호는 '과일' 화분을 소지한 자를 발견한다. 그의 이름은 다이
넨지야마 아이쇼, 모리오 스타디움에서 일하는 남자였다. 두 사람은 '과일'의 재배 장소를 알아내기 위
해 아이쇼를 미행하지만, 이내 들켜 목숨을 위협받는다. 궁지에 몰린 츠루기는 스탠드로 반격! 시야를
어긋나게 함으로써 아이쇼를 버스와 충돌시켜 쓰러뜨렸지만…

★ ★ ☆ ★ MORI OH CHO MAP　모리오초 지도

① 코이비토(연인)곶
② 죠스케 발견 장소
③ 히가시카타가
④ 히로세 야스호의 집
⑤ 키라 요시카게의 맨션
⑥ TG대 병원
⑦ 무츠카베신사
⑧ 명상의 소나무
⑨ 삥뜰기로드
⑩ 히가시카타 프루트 팔러
⑪ 모리오 스타디움

히가시카타가의 과수원

융기한 단층 (벽의 눈)

S시 ☆

태평양

S시 중심부

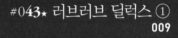

차례★
쌍둥이가 마을에 찾아온다

volume
11

Jojo's bizarre
adventure, part8

JoJolion

#043
러브러브 딜럭스 ①

—다음날—

17:18:05

17:18:07

17:30:48

보통 사람과 다른 방식으로 진화했기 때문인지…

피부가 바위처럼 변화하는 인간이.

이런 생물이 존재하는 걸 보면 분명 또 있을 거야.

괜찮아.

괜찮아…

혹은 '병'에 걸려 그렇게 된 건지.

모든 게 좋은 방향으로 흘러갈 거야…

대화에 의하면… 우리 아빠는 이 녀석들과 모종의 계약을 맺은 관계고.

아이쇼도, 야기야마 요츠유도 바위 인간이야…

모든 동기는 그 '과일'이야.

모두… 그 수수께끼의 '과일'을 둘러싸고 움직이고 있어.

이건 모리오 스타디움 안— 근무중인 아이쇼가 찍힌 카메라 영상이야.

시간은 어제 16시 04분.

16:04:00

다른 카메라— 직원용 통로의 출입구 안쪽…

시간을 봐.

아이쇼는 평소처럼 경비원 일을 하고 있어.

16:38:00

아이쇼가 사복으로 갈아입고 퇴근하는 모습이야.

04:12

16:43:40

또다른 카메라.

스타디움 출입구에서 바깥쪽이 찍힌 영상— 시각은 16시 43분.

16:43:31

……
……

앗

☆

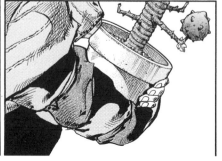

그것이 있다면 이 '5분 동안' 이동한 구역 어딘가에 있을 테고.

'가봐야 한다'는 건 틀림없지만…

'과일 나무'는 분명 다른 데서도 재배되고 있어.

장소가 좁혀지기 시작했어.

법률의 개념을 넘어선 만큼, 눈에 띄지 않게 보관하고 있을 거야.

……

특별한 건가… 그곳이…?

'모리오 스타디움'

고고고고고고

선택하세요.
(남은 시간 0초)
북쪽 or 남쪽

온다!

버스럭

콕

반창고를
더 많이
붙여둘 걸
그랬어.

쳇!

죠스케는
내가 이리
부른 건데…

하지만…
뭐… 됐어…
둘이서 느긋이
얘기라도 하고
있으라지…

……

아하하하하하하
하하하하
하하하하
하하하하

아하하
하하하

내가
우네,
울어.

운다,
울어.

지금부터
'스타디움'에 가려면
나 혼자서는 무리야…
죠스케가 필요해…

멋지다.

프라이드치킨은 없어.
프라이드치킨은 없어.
바삭바삭한
감자튀김으로 충분해.

감자튀김
L사이즈가 좋아.

…
유명한
거야?

누구
노래야?

문득
생각난 것
뿐이야…

몰라…

번쩍번쩍

부탁해…

다시
한번 불러봐…
멋지다.
다시 한번…

반짝반짝

번쩍번쩍

……
……

흐를 음
흐을 08

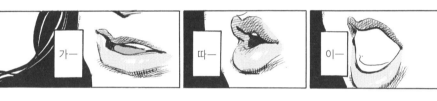

가— 따— 이—

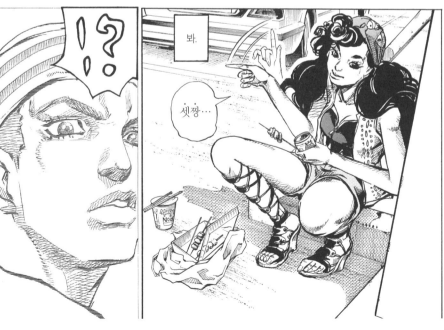

!?

봐.

셋짱…

응?

왜 그래?

헉!!

핵

두리번두리번

キョロ

キョロ

도무지 짐작조차 안 되지만

그게…

왜 그래? 죠스케?

약간 신경 쓰이는 게 생겼어…

스윽

야스호짱, 이따가 다시 보자.

뭐?!

이따가 라니… 죠스케…?!

이따가? …신경쓰이는 게 뭔데?

모르겠어. 10분, 20분이면 돼…

아무튼 이따가 다시 보자.

고고고고고

그래…

하지만 만날 수 있어서 정말 기뻐.

나도 지진 때문에 이런저런 일이 있었어…

삿포로에서 겨우 돌아왔지 뭐야.

…그보다 어떻게 날 찾은 거야?

우연~히!

역 앞에서 왔다갔다 하다보니 셋짱이 '프루트 팔러'에 있더라?

그게 말야!

내 이름… 인가?

셋짱은 지금 뭐하고 있어어?

삿포로…

…아까부터 날 그렇게 부르고 있어.

"셋짱"…

후룩후룩

너무 성급 했어…

위… 위험해… 시… 실수했어…

눈이 달라… 분위기가 예전과는…

옷차림뿐만 아니라…

젠장.

당신, "셋짱"이 아니지!! 젠장!

이럴 수가… 키라 요시카게를 알고 있어… 하지만 죽은 건 몰라.

…이 여자는 '진짜야'.

이런 일이… 일어난 건…

이 여자,

처음이야! 난 '누구'지?! …마침내…

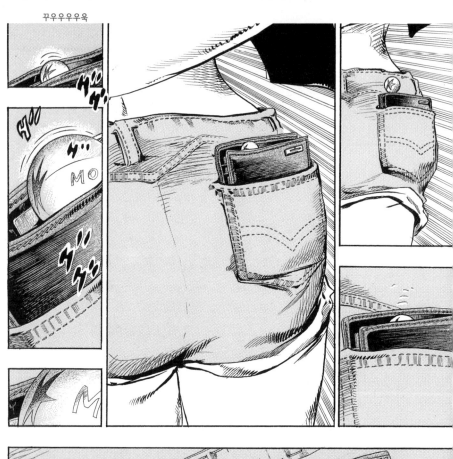

사쿠나미 카레라

잠깐!!
카레라!

가지 마!
넌 실수한 게
아냐!!
나라고!!

"이름".

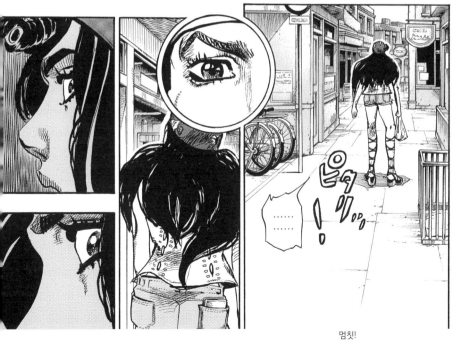

......
......

……
……

우린
그런 관계가
아냐.

이거 하난
확실히
알겠어.
이런
여자는…

분명
좋아하지
않았을
거야…

이 정도면 어디
묵을 수 있을까?
5천 엔이야…

……
……

파앗

호느적호느적

호느적호느적

고고고고

콰앙

닭꼬치

당신네 가게서 산 닭꼬치, 어떻게 돼먹은 거야?

이봐요!

머리카락이!

손님한테 이딴 걸 먹으란 거야아아!

머리카락이 들어갔잖아!

바쁜 사람한테 말야.

누굴 속이려고 들어… 꼬치 굽느라

손님.

뭐라는 거야?

머리카락이 어디 있다는 거야? 거의 다 먹어놓고선 뻔뻔하긴!

이 여자가 미쳤나.

보고 싶으면

잘 보라고. 손 내밀어봐. 당신 손 말이야.

보고 싶어?

그럼 잘 봐.

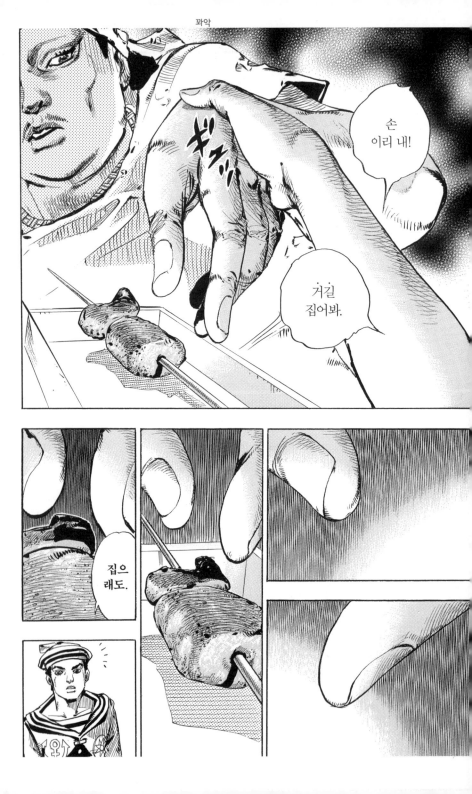

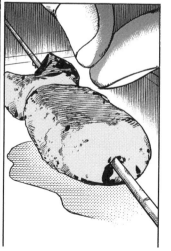

덜러엉

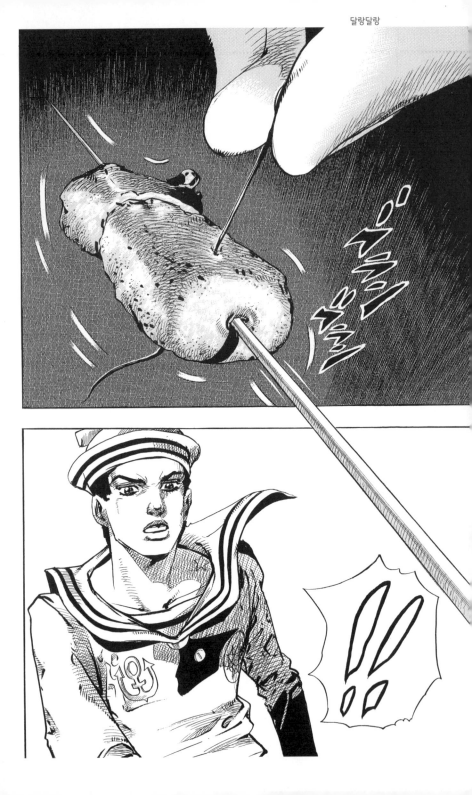

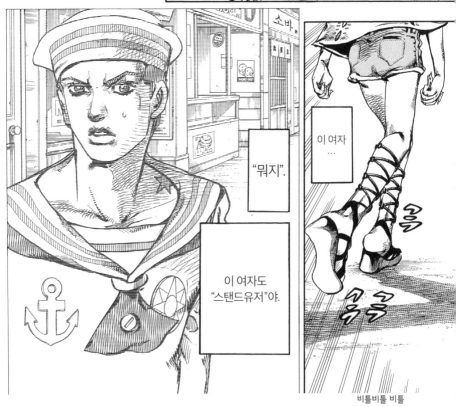

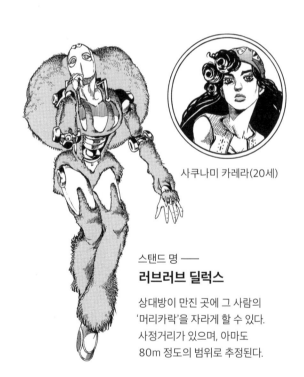

사쿠나미 카레라(20세)

스탠드 명 ——
러브러브 딜럭스

상대방이 만진 곳에 그 사람의
'머리카락'을 자라게 할 수 있다.
사정거리가 있으며, 아마도
80m 정도의 범위로 추정된다.

#044 러브러브 딜럭스 ②

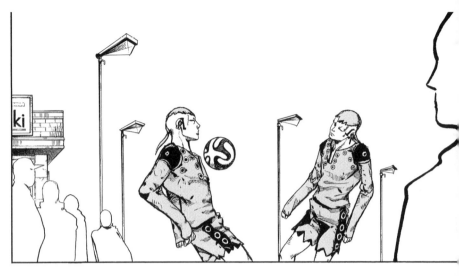

슈욱 슈욱

짝짝 짝짝 짝짝 짝짝 짝짝

덥석

와르르 와르르 와르르

뚝뚝

사락 사락 사락

스키야키 '맛'이 나.

먹을래?
셋짱.

이 여자…

소지품은 이것 뿐인가?

슈퍼의 비닐봉지.

묵을 곳이 없다고 했는데 갈아입을 옷이나 속옷은… 어떡하는 걸까?

그리고 '텅 빈 지갑'… 무슨 생각이지? 파친코에 돈을 다 써버렸어.

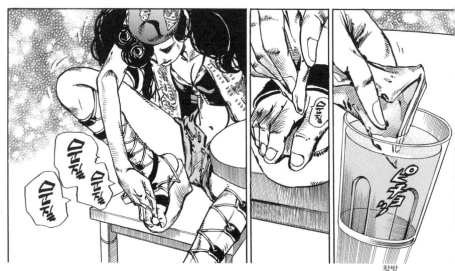

참방

내 과거를
알고 있어.

두리번두리번

우웃

돈도 못 받았어…

저 사람의 '머리카락'은 저 사람이 직접 만진 부분밖에 나지 않아!

셋짱, 왜 방해하는 거야아아———!

우웃…

어차피 사정거리는 80m 정도라서 대머리에 머리카락 좀 나게 해줘봤자 나한테서 멀어지면…

그런 거면 내가 이런 자세였겠지—

어머!

셋짱, 혹시 내가 섹스 서비스라도 해주는 걸로 착각한 거야?

금방 다시 빠지니까 돈 내놓으라고 펄펄 뛰겠지만 말이야.

네에～

삭

혹시 날
의심하는
거야?

아까부터
질문만 하고
뭐가 알고
싶은데?

핸드폰?
내 거?
……

……
……

뭐라고
했더라?
좀전에…

그래서?

확

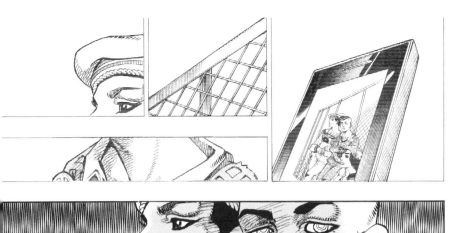

두웅

도도도도도

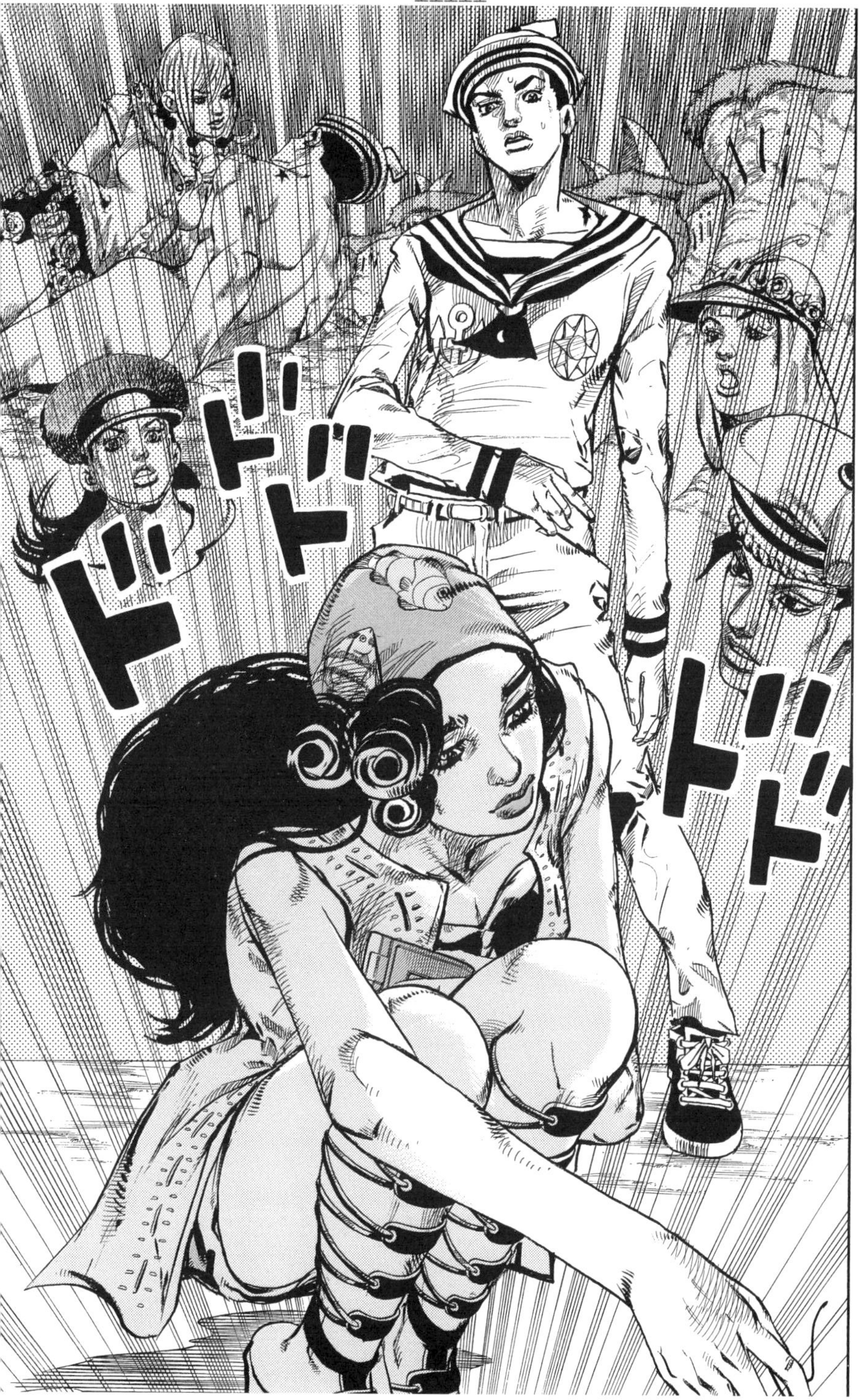

들키지 않으면

살고 있는 주소가 중요해…

……
……

행동을 아무에게도 들키지 않는다면… 목표는 "성공" 한 거야.

휘익

잠깐만 있어봐.

?!

금방… 갔다올게!

달칵

자라는 순서.

으읔

비밀 번호.

번호…!

그 자식들이 손가락으로 누른 순서…

쑤욱 쑤욱

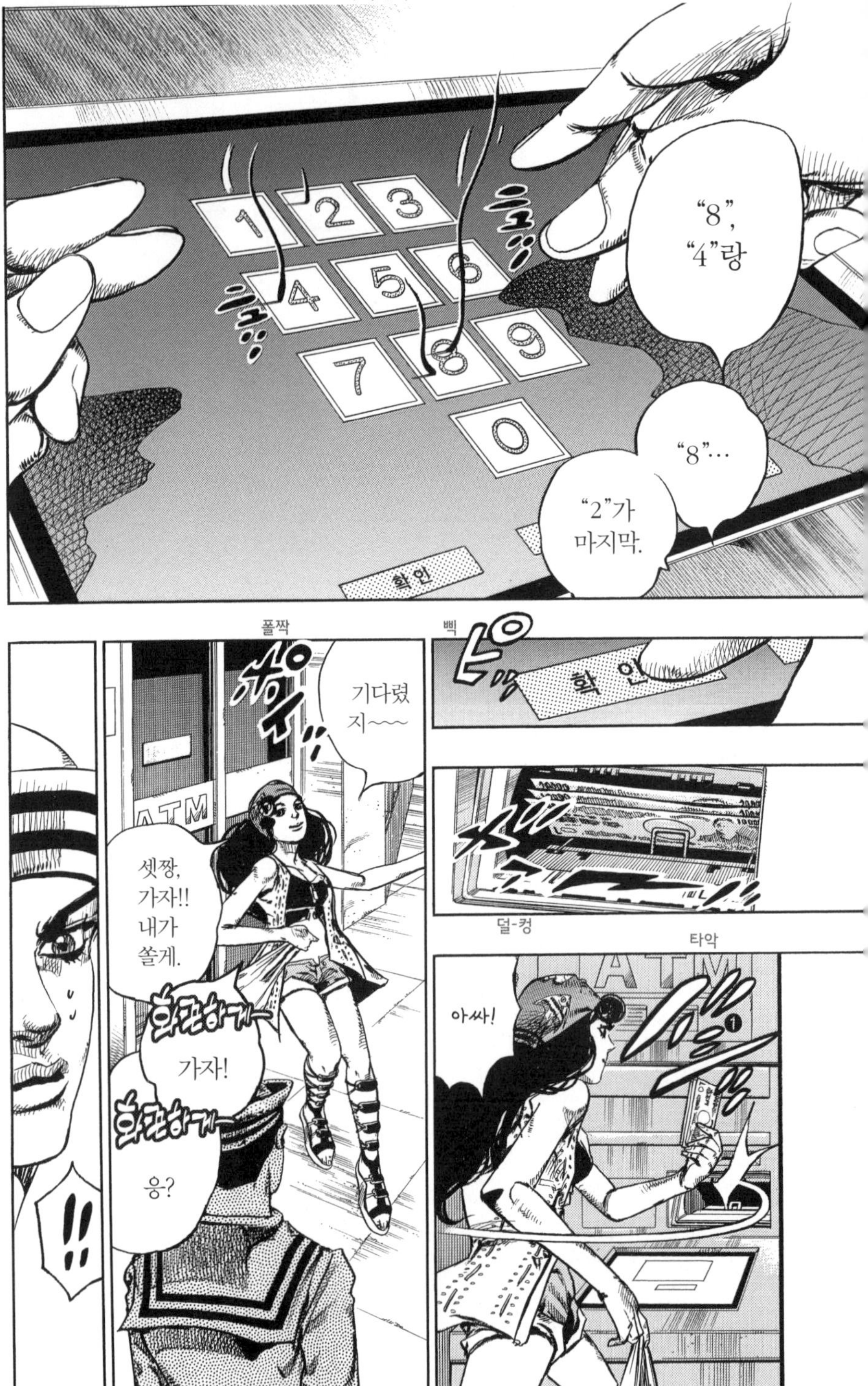

쑤욱 쑤욱
"8",
"4"랑
"8"…
"2"가
마지막.
확인
폴짝
기다렸
지~~~
셋짱,
가자!!
내가
쏠게.
화끈하게—
가자!
화끈하게—
응?
!!
삑
확인
덜-컹
타악
아싸!

사쿠나미
카레라…

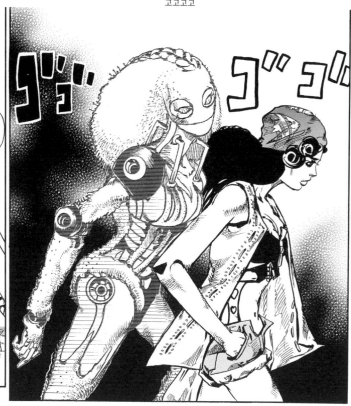

꾸벅

안녀엉~~~~
하세요~~~

……

잠깐
괜찮을까요

방금…
인근 주민분의
신고가
들어와서요.

다른
안전한
곳에 가서
하시는 게
어떨지…

여긴
오가는
차도 많고
사람도 많이
지나다니는
곳이라…

축구
인가요
…

노약자도 많이
다니니까요…
만에 하나
사고라도 나면
말이죠…

슈욱 슈욱

슈욱 슈욱 슈욱

그 뭐냐아… 그 공… 말인데요

토-옹 토-옹

슈욱

……
……

협조 부탁드립니다~ 공놀이를 당장 멈춰주실 수 없을까요~~

……
……

슈욱

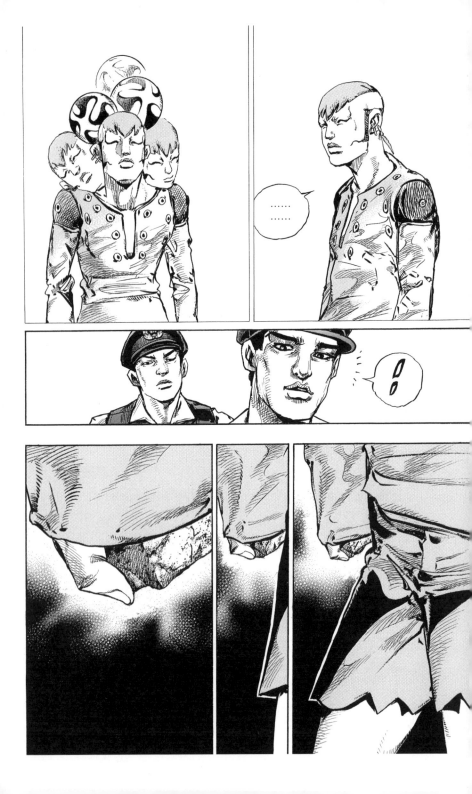

잠깐
괜찮을
까요?

이 마을
주민
이십니까?
신분증 좀
보여주시죠.

동생은 어렸을 적부터 잠잘 때도 공과 떨어져 있던 적이 없어.

일심동체라고. 사고 같은 걸 일으킨 적도 없어…

법적으로 아무 문제 없을 텐데.

게다가 공도 아닌 것 같군요…

그건 곧 판명될 겁니다. 그 공을 즉시 바다에 내려 놓으세요.

그건 가방인가요? 지퍼가 달렸네요.

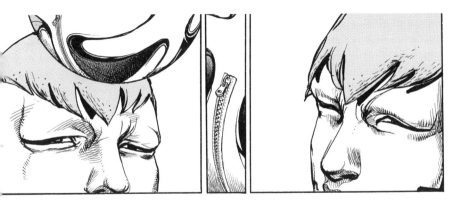

그리고 두 분… 소지품도 좀 보여주시겠습니까?

오래 안 걸립니다. 저기 파출소에 가서 잠깐이면 돼요.

이쪽 분도 손에 뭔가 들고 계신 것 같군요…

……

POLICE

투욱

쾅

그건 내가 널 좋아하는 가장 큰 이유니까 말이야.

아무래도…

이 마을에도 오래는 머물지 못할 것 같군. …하지만 부끄러워할 건 없어.

네 탓이 아냐.

쑤욱 쑤욱 쑤욱 쑤욱

쑤욱 쑤욱 쑤욱

쑤욱 쑤욱 쑤욱 쑤욱

사락사락

후두둑후두둑

후두둑

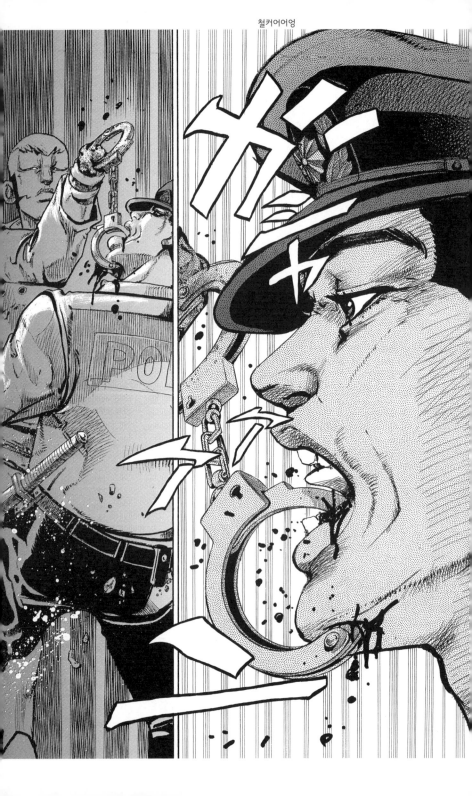

철커어어엉

우오오
오오
오오

컥컥

도도도

글쎄…
한계에 달했으니
이 마을에
나타난 거겠지.

용케
반년이나
버텼군…

그런데
그 여자…

누군갈
만나기
위해서
일지도…?

…우선…
파친코 가게와
닭꼬치 가게
근처부터
찾아보자.

아아
아아

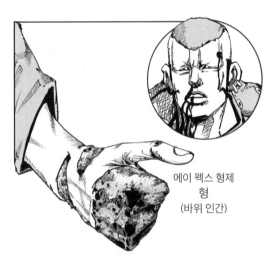

에이 펙스 형제
형
(바위 인간)

스탠드 명 —— 쇼트 키 No. 1

오른손 일부가 '바위'로 되어 있으며,
왼손으로 움켜쥔 물체를
오른손의 바위로 순간 이동시킬 수 있다.
예를 들어 왼손으로 바늘을 움켜쥐면 바위에서 바늘이,
가솔린을 만지면 가솔린이 나온다.

뒹굴   우물우물

덜컥…

빙글

쪽

우선은…

모리오초 258번지로…

258.

불쑤우욱

을?

아으~

어라?

저기…

기사님, 혼잣말인 척하는 거예요?

방금 그건 혹시~ 일본어로 번역하면 '기본요금도 안 되는 거리면서 뭔 놈의 택시야' 란 뜻?

나 한테?

있잖아요, 방금…

들었는데 혹시… '쪽' 이라고 하신 거예요?

기어이 말해버렸네, 'NG' 워드를.

그럼 말야

뒤 좀 보셔!

이것도 카메라에 찍혀 있겠지? 이건 어떨 건데?!

얼라리요

카메라란 말이지이

얼레!

이건 어떨 건데 에에~

문을 닫은 건 기사님 이잖아...

하지만 없던 일로 해드릴게.

머리카락은 여자의 생명이나 마찬가지지만 특별히 싸게 해드릴 테니까

두웅

히히

두리번

오드득오드득 오드득오드득

오들 오들오들　　　　부들 부들부들

우웃　　우

샥

이…일이
그렇게
쉽게 풀리진
않는구나…

지진이
일어난 지
반년이나 지나서
관심이 식은 줄
알았는데…
반대였어.

"로카카카"
나무가 있었어.

딱
한 그루.

"무슨 일이
있었는지…?
내게 가르쳐
줘…"

"난 누구지?"

화분에
심겨
있었어…

저기 부엌에
키라가
숨기는 걸
봤다고.

난 알고
있어…

키라가
딱 한 그루 몰래
"나무"를 숨겨두고
있었던 걸…

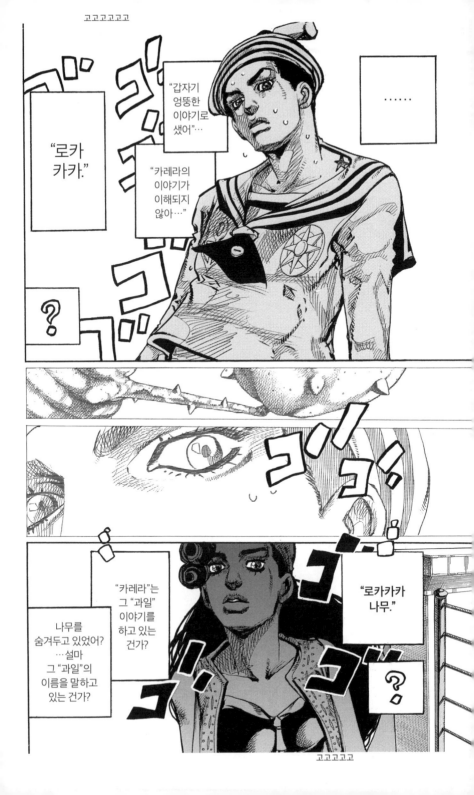

…알고 있어! 지금, 그 과일 이야기를 하고 있어!

목적은 그 '과일' 이야…!

카레라는 과일에 관해

다른 나무는 처분했지만…

키라가 '로카카카'를 딱 한 그루 숨기는 걸 난 봤어.

키라는 병든 어머니가 있으니 말이야…

그게 지금 어디에 있는지?

슥…

슥...

토-옹 토-옹

너랑 아는
사이야?

카레라
짱.

화르륵

"소프트
&웨트."

스윽

코악

덜걱

오라아!!

빠가아악

에이 펙스 형제
동생
(바위 인간)

스탠드 명 —— **쇼트 키 No. 2**

축구공 같은 '가방' 안에 든 독가스 스탠드.
사정거리는 이 공 모양 가방을 기점으로 20cm 정도다.

#046
러브러브
딜럭스 ④

「진화의 나무」
2011

수면기의 바위 인간을 관찰해보자.

바위 인간을 찾아보자. 어디에 몇 명이 있을까?

답: 두 명(아마)

비디오카메라를 설치해서 녹화·관찰해보자.

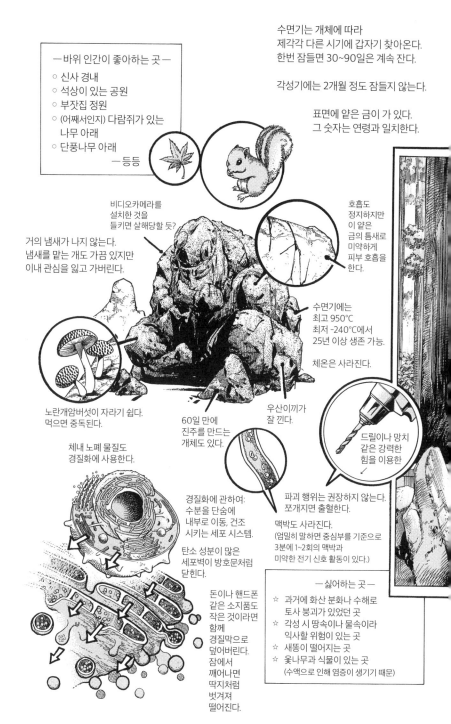

수면기는 개체에 따라
제각각 다른 시기에 갑자기 찾아온다.
한번 잠들면 30~90일은 계속 잔다.

각성기에는 2개월 정도 잠들지 않는다.

표면에 얕은 금이 가 있다.
그 숫자는 연령과 일치한다.

―바위 인간이 좋아하는 곳―

ㅇ 신사 경내
ㅇ 석상이 있는 공원
ㅇ 부잣집 정원
ㅇ (어째서인지) 다람쥐가 있는
  나무 아래
ㅇ 단풍나무 아래
            ―등등

비디오카메라를
설치한 것을
들키면 살해당할 듯?

호흡도
정지하지만
이 얕은
금의 틈새로
미약하게
피부 호흡을
한다.

거의 냄새가 나지 않는다.
냄새를 맡는 개도 가끔 있지만
이내 관심을 잃고 가버린다.

수면기에는
최고 950℃
최저 -240℃에서
25년 이상 생존 가능.

체온은 사라진다.

노란개암버섯이 자라기 쉽다.
먹으면 중독된다.

60일 만에
진주를 만드는
개체도 있다.

우산이끼가
잘 낀다.

드릴이나 망치
같은 강력한
힘을 이용한

체내 노폐 물질도
경질화에 사용한다.

경질화에 관하여:
수분을 단숨에
내부로 이동, 건조
시키는 세포 시스템.

탄소 성분이 많은
세포벽이 방호문처럼
닫힌다.

파괴 행위는 권장하지 않는다.
쪼개지면 출혈한다.

맥박도 사라진다.
(엄밀히 말하면 중심부를 기준으로
3분에 1~2회의 맥박과
미약한 전기 신호 활동이 있다.)

돈이나 핸드폰
같은 소지품도
작은 것이라면
함께
경질막으로
덮어버린다.
잠에서
깨어나면
딱지처럼
벗겨져
떨어진다.

―싫어하는 곳―

☆ 과거에 화산 분화나 수해로
  토사 붕괴가 있었던 곳
☆ 각성 시 땅속이나 물속이라
  익사할 위험이 있는 곳
☆ 새똥이 떨어지는 곳
☆ 옻나무가 식물이 있는 곳
  (수액으로 인해 염증이 생기기 때문)

바위 인간 중 95%는 스탠드유저다.

(수컷)과 (암컷)이 있다.
섹스를 해서 아이를 낳는다.

육안으로 봤을 때 인간과 형상의 차이는 없다.
바위 인간이 각성했을 때 피부를 만지면
묘하게 촉촉하고 윤기가 있어 섹시하다.

드물게 인간 이성과 사랑에 빠지는 개체도 있지만
통계에 의하면 그중 97.5%는 파국을 맞았다.
파국은 살해라는 형태로 종식된다.
유전학상 인간과는 아이가 생기지 않는다.

6년마다 변태한다.

| 유아기 | 소년기 | 청년기1 | 청년기2 | 장년기1 |

모습은 서서히 변화하지 않고, '탈피'로 단숨에 모습을 바꾸며 성장한다.
변태는 수면중에 일어난다. 추정 수명은 240세다.

연령에 따라 잠자는 포즈가 다르다.
어째서 자세를 달리하는지는 알려져 있지 않다.

포즈1　　　　　포즈2　　　　　포즈3　　　　　포즈4　　　　　포즈5

식생활

전 개체 공통으로 망고(과일)에
알레르기 반응을 보이며, 벌꿀을 좋아한다.
야채, 나무 열매, 육류, 어류 등 온갖 생물을 먹는다.

종교 및 철학

대지와 자연에 내재해 있는 힘을 믿는다.
그 힘에 외경심을 갖고 있으며 겸허한 태도를 취한다.
생리학적 혹은 역사적 이유로 인해 인간과 공존하거나
서로 이해하는 것은
불가능하다.

사회생활 및 언어

기본적으로 기온 변화나 폭풍우, 가뭄 등을 초월해
살아가는 것이 가능하기 때문에, 저축이나 집, 땅 등 재산이
필요치 않으며 집단이나 국가를 이루려 하지 않는다.
그러나 지난 수천 년간 인간의 인구 증가와 문명의 발전에
의해 땅이나 생활 환경이 감소했기 때문에, 인간 사회에
'기생'하는 형태로 공생하는 개체들이 존재한다.

그들은 인간의 학문을 습득하고, 인간의
언어를 말하며, 신분을 탈취해 땅이나 재산을
가지고 숨어들어 있다. 그것은
소유욕이라기보다 어디까지나 '기생'으로서
인간 사회를 이용하고 있는 것뿐이다.

여러 달에 걸쳐
수면기가 이어지므로
근무 시간이
고정적인 직업은
가질 수 없다.

다이넨지
야마
아이쇼는
(비정규직)
경비원.

야기야마
요츠유는
건축가.

휴재가
잦은
만화가
등은 무척
수상하다.

인구 파악된 바 없다.

사망 유해는 단시간에 조직 붕괴하며 미라, 화석은 발견된 바 없다.

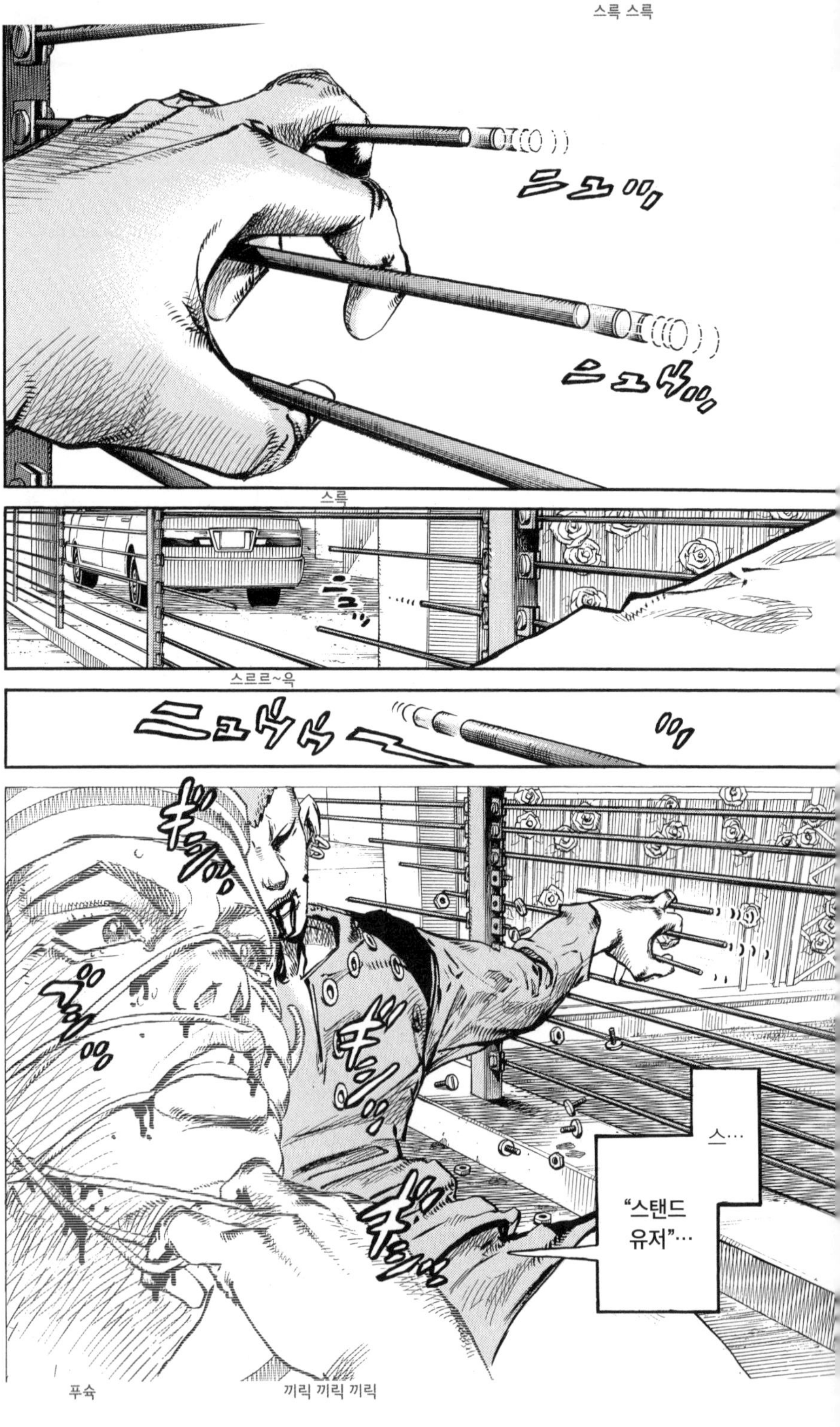
스륵 스륵
스륵
스르르~윽
스…
"스탠드
유저"…
푸슉
끼릭 끼릭 끼릭

아아!

"로카카카"에
관해 알고
있는 건
셋짱…
이니까
말이야.

아아

도도도

젠장, 역시 찾는 녀석들이 있었어…

쫓는 녀석들이 있었던 거야!

이 녀석 말이야…

도도도

멈칫

뭐야,
안에 뭔가…
있어.

저건 '공'이
아닌 건가?!

찌익! 지지직 지지직

슈욱!!

도도도도

슈욱

콰악

투퍽

퍼억

우오오
오오오
―웃!

오라!

푸웁!

도도도도   콱직

으윽

크윽

하압!

슈욱 슈욱

슈욱

슈욱 슈욱 슈욱 슈욱

슈웅

벌떡

하얏!!

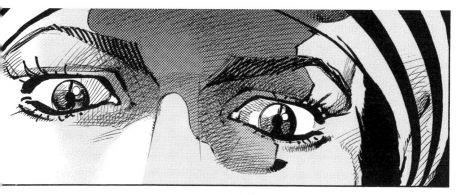

슈우-웅

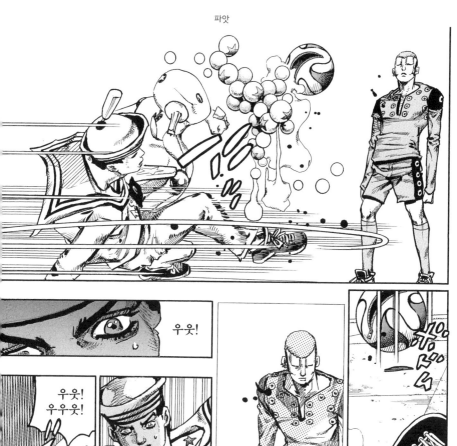

우옷!

우옷!
우우웃!

투웅

푸슈우 푸슈우 푸슈우　　푸슉 푸슉 푸슉　　파앗　　빙글빙글

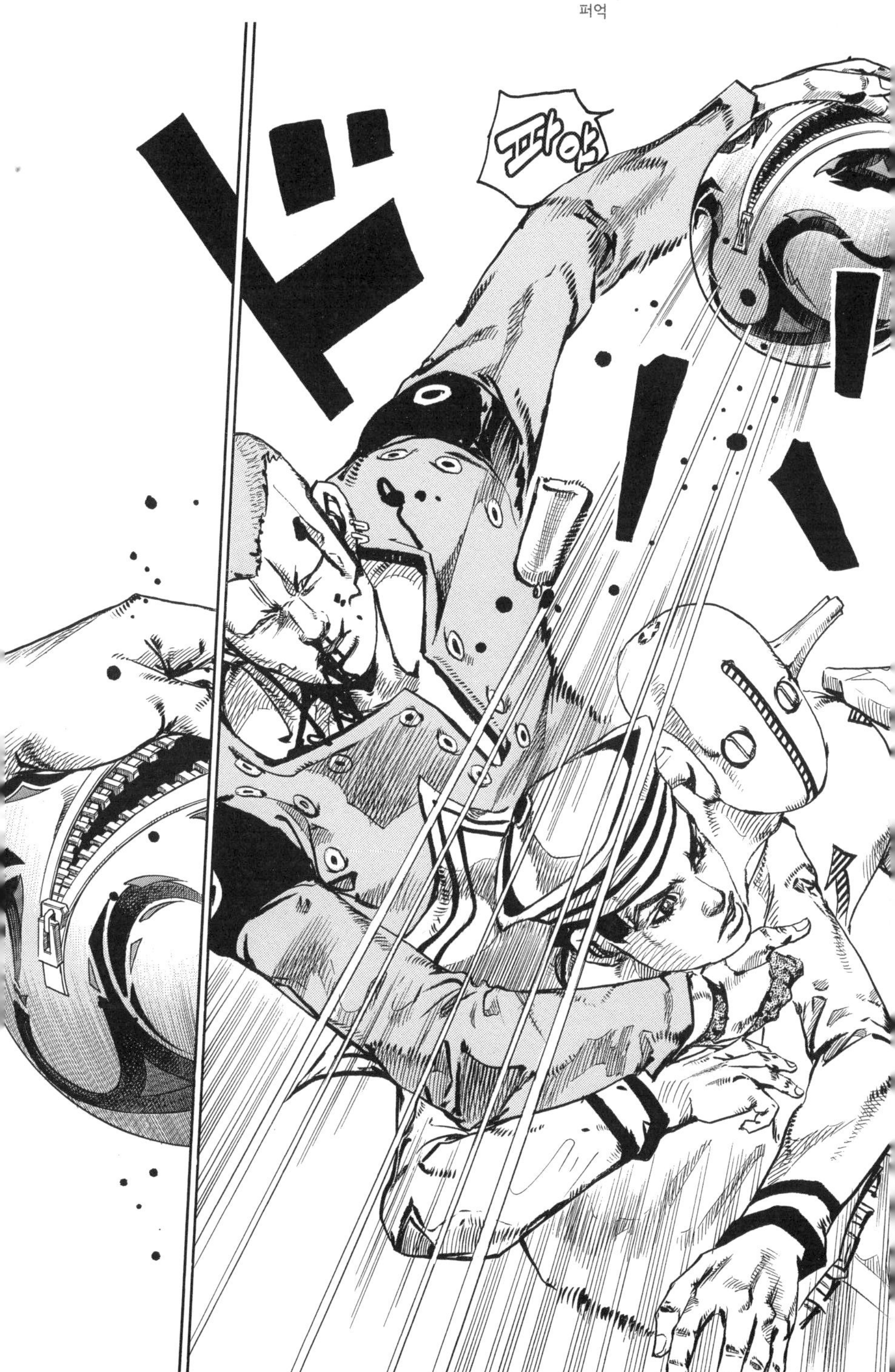
퍼억
끄악

쑤우우욱!!

그런 건
관두는 게
좋을걸.

'오른손'
으로…

'왼손'
에서…

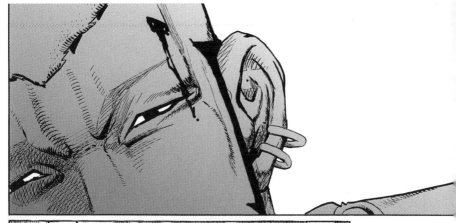

푸슈우우우우욱

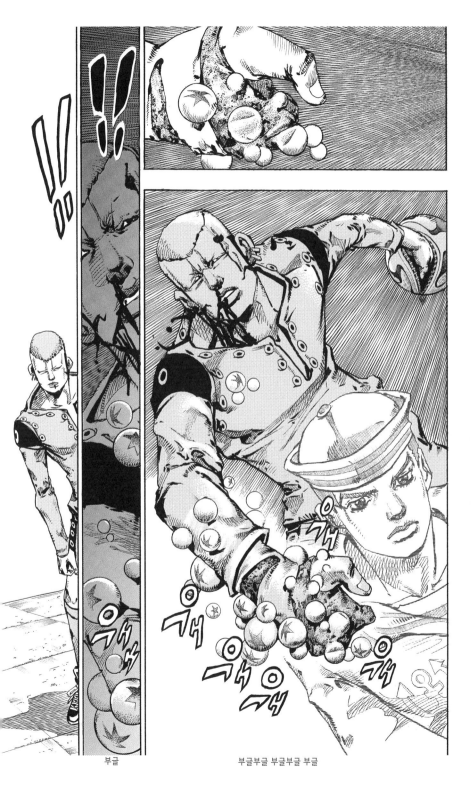

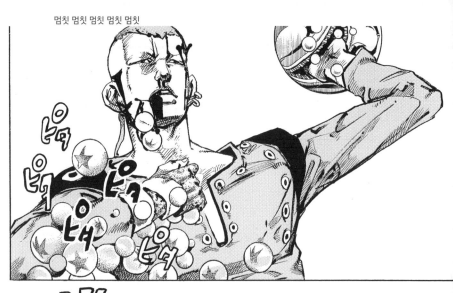

그 '비눗방울'이 터지면…

공 안에 잔뜩 넣어뒀지.

아깐 보지 못했겠지만, 안에 들어 있어.

'독가스'가 흩뿌려진다는 소리다.

앗!

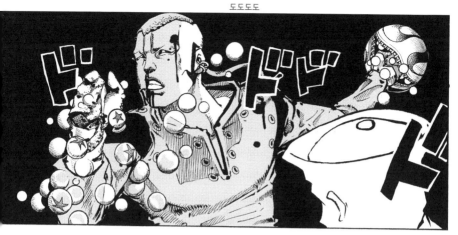

얼굴은 다르지만 또다른 녀석과도 닮았고.

너 대체 뭐냐?

설마 너, '죠세후미'냐 …?!

'빼앗고' '파열시킨다'… 키라와 닮았어…!

내가 그 자식에게 직접 날려주겠어!

공을 내 쪽으로 보내—!

타앗

형, 공을 나한테 다시 줘!!

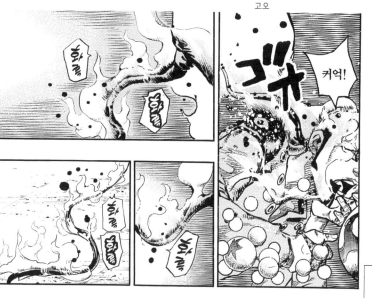

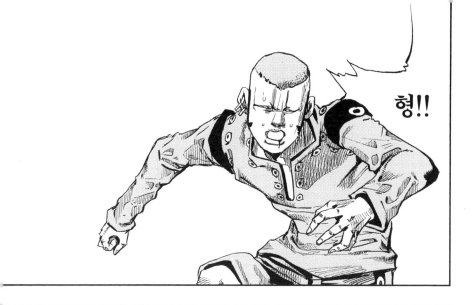

형!!

파앙 파앙 파앙 파앙 파앙 파앙 파앙

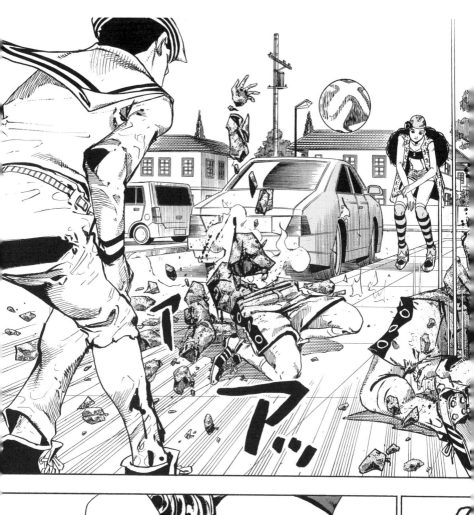

⑪ 쌍둥이가 마을에 찾아온다 마침

죠죠의 기묘한 모험 (1~5부) 전63권

『죠죠의 기묘한 모험』 1~5부.
1987년부터 연재중! 1억 부의 누적 발행부수! '스탠드' 개념을 도입해
능력배틀물의 원조가 되었고, 단순한 힘겨루기에 그쳤던 종전 만화에 두뇌싸움과
트릭 등 다양한 요소를 도입해 소년만화의 새로운 지평을 연 전설의 만화!

스톤 오션 (6부) 전17권

『죠죠의 기묘한 모험』 6부.
남자친구와 드라이브 도중 교통사고에 휘말린 쿠죠 죠린은
누군가의 모함으로 징역 15년 형이 확정되고 만다.
한편 아버지 쿠죠 죠타로가 맡긴 불가사의한 펜던트에 손을 찔리자
죠린에게 알 수 없는 변화가 일어나기 시작하는데…!

스틸 볼 런 (7부) 전24권

『죠죠의 기묘한 모험』 7부.
때는 1890년, 미국에서 세기의 레이스 'SBR'이 개최된다.
총 거리 약 6,000km에 이르는 인류 역사상 첫 북미대륙 횡단 승마 레이스!
불행한 사고로 하반신이 마비된 천재 기수 죠니 죠스타와
회전하는 철구를 무기로 가진 의문의 사나이, 자이로 체펠리.
우승상금 5천만 달러를 목표로, 뜨거운 모험가들의 싸움이 지금 시작된다!

The BOOK - jojo's bizarre adventure 4th another day

오츠이치 지음 | 아라키 히로히코 오리지널 콘셉트

『죠죠의 기묘한 모험』 4부의 스핀오프 소설.
죠죠의 기본 설정을 바탕으로 스릴러, 호러 계열의 블루칩으로 각광받고 있는
소설가 오츠이치가 무려 5년 동안 집필한 놀라운 결과물!
'책'의 존재로 인해 히가시카타 죠스케는 죽는다…?!

수치심 없는 퍼플 헤이즈

카도노 코헤이 지음 | 아라키 히로히코 오리지널 콘셉트

『죠죠의 기묘한 모험』 5부의 스핀오프 소설.
부차라티 일행과 헤어진 후,
'부끄러움도 모르는 배반자'의 오명을 쓰게 된 판나코타 푸고.
팀과 이별한 후 행방을 알 수 없었던 푸고를 찾아낸 귀도 미스타는
그에게 새로운 보스 죠르노 죠바나의 명령을 전한다.

사형집행중 탈옥진행중

아라키 히로히코의 세계관을 엿볼 수 있는 주옥같은 단편 모음집.
들여다 보기를 권한다, 죠죠러라면!!

키시베 로한은 움직이지 않는다 전2권

모리오초에 사는 인기 만화가 키시베 로한.
풍부한 호기심에 더해 리얼리티를 추구하는 데 목숨 건 그가
다양한 취재지에서 체험한 공포 기담!

아라키 히로히코의 만화술

『죠죠』 작가가 직접 알려주는 소년만화 작법서!
식을 줄 모르는 인기를 자랑하는 초장기 연재작
『죠죠의 기묘한 모험』의 저자 아라키 히로히코.
'만화는 최강의 종합예술'이라고 단언하는 그가
지금까지 말한 적 없는 만화 작법과 창작의 비밀을 낱낱이 밝힌다!

옮긴이 **김동욱**

홍익대학교 출신. 게임 및 IT 기술 번역으로 2000년대 초 번역과 연을 맺었다.
이후 애니메이터 등 다방면으로 서브컬처 업계에 종사하다가 출판번역에 입문하여
현재는 전업 번역가로 활동하고 있다. 옮긴 책으로는 『스톤 오션』『스틸 볼 런』 등이 있다.

죠죠의 기묘한 모험 Part 8

죠죠리온
제11권 쌍둥이가 마을에 찾아온다

초판인쇄	2023년 6월 16일
초판발행	2023년 6월 23일
지은이	아라키 히로히코
옮긴이	김동욱
책임편집	조시은
편집	김지애 이보은 김지아 김해인
디자인	백주영
마케팅	정민호 김도윤 한민아 이민경 안남영 김수현 왕지경 황승현 김혜원
브랜딩	함유지 함근아 박민재 김희숙 고보미 정승민
제작	강신은 김동욱 임현식
원화수정	윤정아
펴낸곳	㈜문학동네
펴낸이	김소영
출판등록	1993년 10월 22일 제2003-000045호
주소	10881 경기도 파주시 회동길 210
전자우편	comics@munhak.com
대표전화	031-955-8888 │ 팩스 031-955-8855
문의전화	031-955-3576(마케팅) │ 031-955-2677(편집)
ISBN	978-89-546-9274-8 07830
	978-89-546-8211-4 (세트)
인스타그램	@mundongcomics
트위터	@mundongcomics
페이스북	facebook.com/mundongcomics
카페	cafe.naver.com/mundongcomics
북클럽문학동네	bookclubmunhak.com

www.munhak.com